The Grandmaster of Demonic Cultivation
Mo Dao Zu Shi

Zeichnungen: **Luo Di Cheng Qiu**
Original: **Mo Xiang Tong Xiu**

Wei Wuxian

Geburtsname Wei Ying, Hofname Wei Wuxian. Hat eine romantische Ader, ist gut aussehend und zwanglos. War einst der beste Schüler von Jiang Fengmian, dem Oberhaupt des Jiang-Clans. Begründete später den dämonischen Pfad und trägt den Titel »Yiling-Patriarch«. Ist von schlanker Statur und trägt schwarze Kleidung. An der Hüfte führt er oft seine Flöte »Chenqing« mit sich. Zitat: »Man selbst entscheidet, was richtig und falsch ist, unabhängig davon, was andere darüber denken und was die Konsequenzen sein mögen.«

Lan Wangji

Geburtsname Lan Zhan, Hofname Lan Wangji, Titel Hanguang-Jun. Der zweite junge Herr des Gusu-Lan-Clans. Zweiter Sohn des ehemaligen Clanoberhaupts Qingheng-Jun, jüngerer Bruder des jetzigen Clanoberhaupts Zewu-Jun und Neffe sowie Lieblingsschüler von Lan Qiren. Nach außen wirkt er kalt, ernst und reserviert. In Wahrheit hat er jedoch einen ausgeprägten Gerechtigkeitssinn und teilt lediglich seine Gefühle nicht mit anderen. Er ist streng zu sich selbst und seit seiner Jugend der Einzige, der ohne Ausnahme stets dort erscheint, wo seine Hilfe benötigt wird. Genießt einen äußerst guten Ruf.

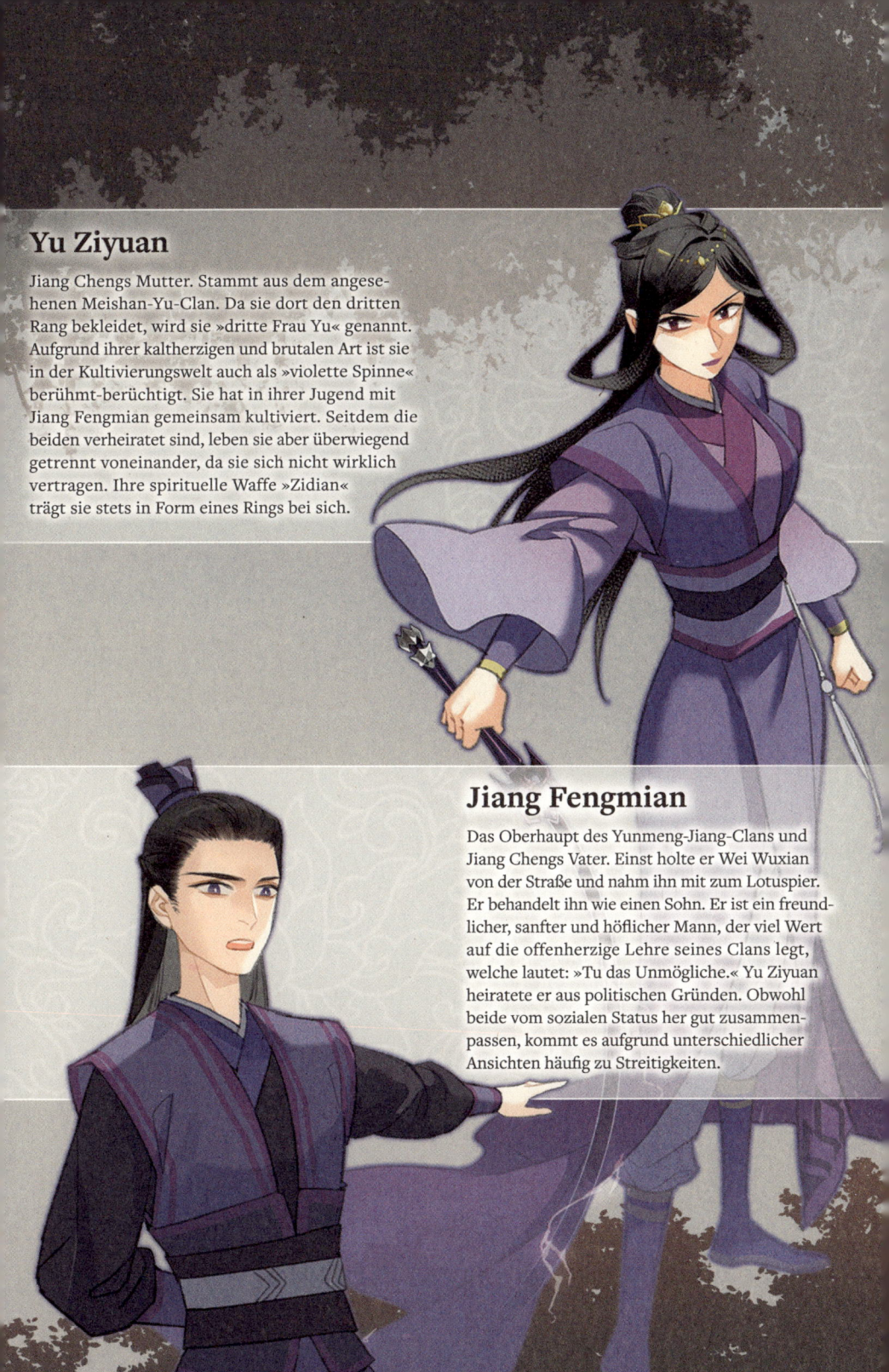

Yu Ziyuan

Jiang Chengs Mutter. Stammt aus dem angesehenen Meishan-Yu-Clan. Da sie dort den dritten Rang bekleidet, wird sie »dritte Frau Yu« genannt. Aufgrund ihrer kaltherzigen und brutalen Art ist sie in der Kultivierungswelt auch als »violette Spinne« berühmt-berüchtigt. Sie hat in ihrer Jugend mit Jiang Fengmian gemeinsam kultiviert. Seitdem die beiden verheiratet sind, leben sie aber überwiegend getrennt voneinander, da sie sich nicht wirklich vertragen. Ihre spirituelle Waffe »Zidian« trägt sie stets in Form eines Rings bei sich.

Jiang Fengmian

Das Oberhaupt des Yunmeng-Jiang-Clans und Jiang Chengs Vater. Einst holte er Wei Wuxian von der Straße und nahm ihn mit zum Lotuspier. Er behandelt ihn wie einen Sohn. Er ist ein freundlicher, sanfter und höflicher Mann, der viel Wert auf die offenherzige Lehre seines Clans legt, welche lautet: »Tu das Unmögliche.« Yu Ziyuan heiratete er aus politischen Gründen. Obwohl beide vom sozialen Status her gut zusammenpassen, kommt es aufgrund unterschiedlicher Ansichten häufig zu Streitigkeiten.

Inhaltsverzeichnis

Kapitel 161	Die zwei Helden von Yunmeng	6
Kapitel 162	Frau Yus Strafe	17
Kapitel 163	Du redest mit mir über Respekt?!	28
Kapitel 164	Zidian erkennt ihre Besitzer	40
Kapitel 165	Die Opfer von Yunmeng	52
Kapitel 166	Jiang Chengs Rettung	63
Kapitel 167	Der verlorene goldene Kern	74
Kapitel 168	Die Wiedererlangung des goldenen Kerns	85
Kapitel 169	Nächtlicher Angriff	96
Kapitel 170	Tödliche Flötenklänge	108

Kapitel 171	Rache	120
Kapitel 172	Komm mit mir nach Gusu	131
Kapitel 173	Nimm mich mit nach Hause	142
Kapitel 174	Eine andere Melodie	153
Kapitel 175	Die Person, der ich vertraue	163
Kapitel 176	Hausarrest	172
Kapitel 177	Der ungebetene Gast	183
Kapitel 178	Nimm die Zügel	192
Kapitel 179	Lan-Er-Gege	205
Kapitel 180	Plötzlicher Besuch	216

Kapitel 161

Die zwei Helden von Yunmeng

Kapitel 162

Frau Yus Strafe

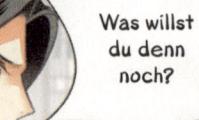

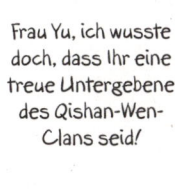

Kapitel 163

Du willst mich über Hierarchie belehren?!

Kapitel 164

Zidian erkennt ihre Besitzer

Mutter!

Was tut Ihr?!

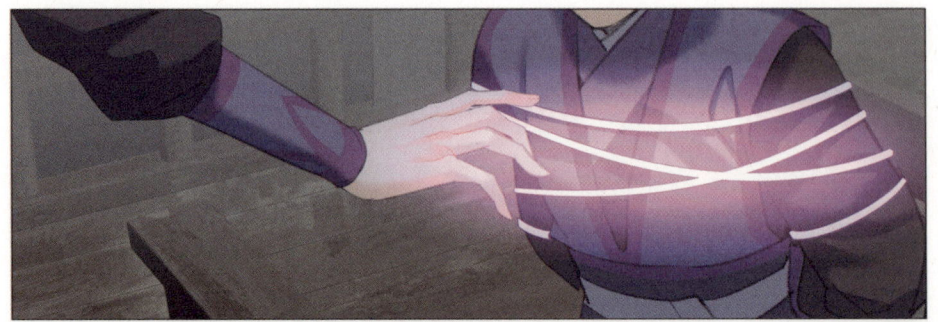

Seit wann erkennt mich Zidian als Besitzer an?

Vater, lasst uns schnell zusammen zurückfahren und ihr helfen!

Heute ist der Wen-Clan bei uns aufgetaucht. Mutter kämpft gerade gegen die kernzerschmelzende Hand!

Die kernzerschmelzende Hand?!

Kapitel 165

Die Opfer von Yunmeng

Kapitel 166

Jiang Chengs Rettung

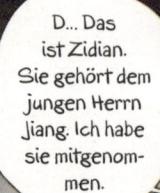

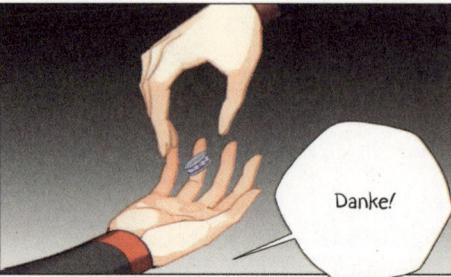

Kapitel 167

Der verlorene goldene Kern

Kapitel 168

Die Wiedererlangung des goldenen Kerns

Kapitel 169

Nächtlicher Angriff

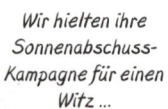

Vor zwei Monaten haben die Zwillings-Jadesteine des Lan-Clans zusammen mit Jiang Cheng einen Überraschungsangriff gestartet ...

... und sich Sandu, Bichen und die anderen Schwerter zurückgeholt.

Nun sind sie auf dem Weg zu der Kontrollstation, in der Wen Chao sich versteckt hielt, und bereiteten einen nächtlichen Angriff vor, als ...

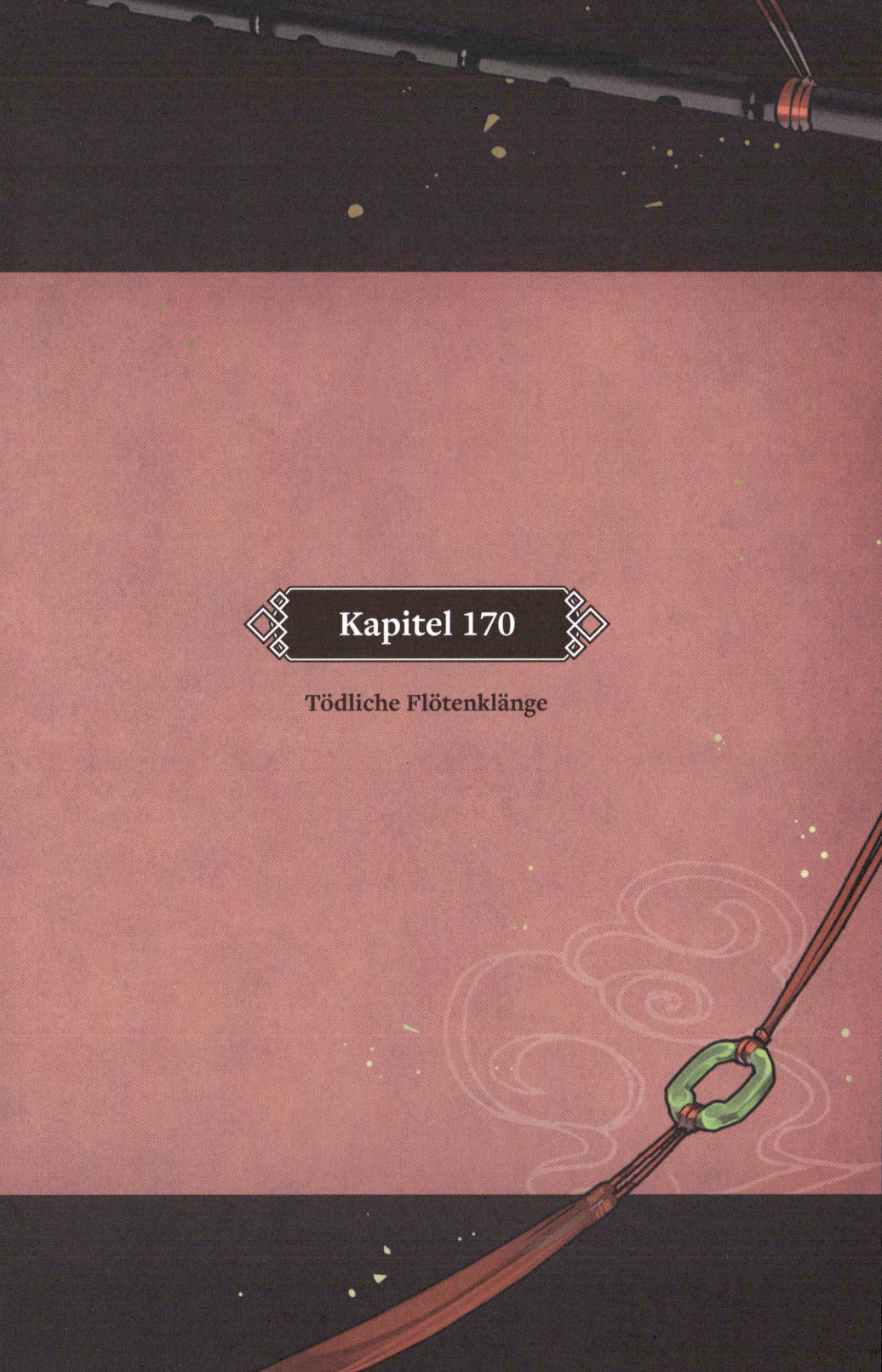

Kapitel 170

Tödliche Flötenklänge

Diese Art zu sterben ...

Sie machten sich auf den Weg in Richtung Norden. Und an jedem Ort, an dem sie vorbeikamen ...

... hörten sie von seltsamen Todesfällen, die sich in der Region ereignet hatten.

In der vierten Nacht fanden sie schließlich eine Spur von Wen Zhuliu.

TAPP

Kapitel 171

Rache

Wen Zhuliu, glaubst du wirklich ...

... dass du das Leben dieses Hundes vor mir schützen kannst?

Ich muss mich nun mal für die Ehre, die mir erwiesen wurde, erkenntlich zeigen.

Mir bleibt nichts anderes übrig, als es unter Einsatz meines Lebens zu versuchen.

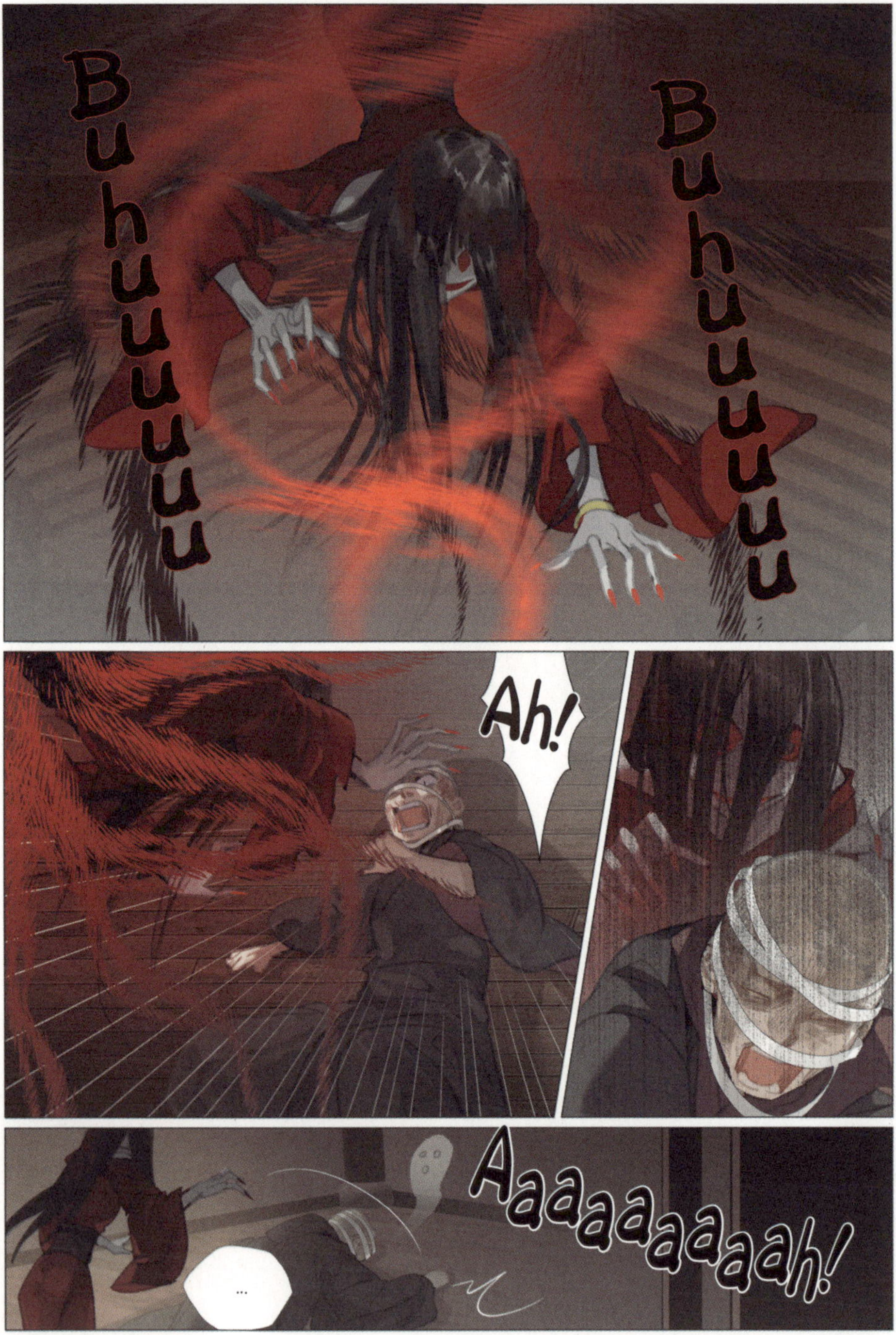

Kapitel 172

Komm mit mir nach Gusu

Dein Schwert!

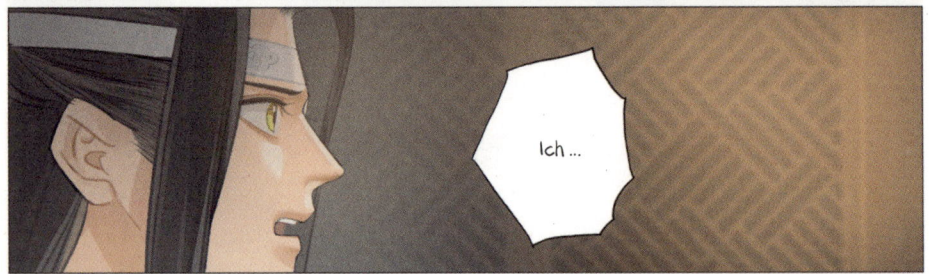

Kapitel 173

Nimm mich mit nach Hause

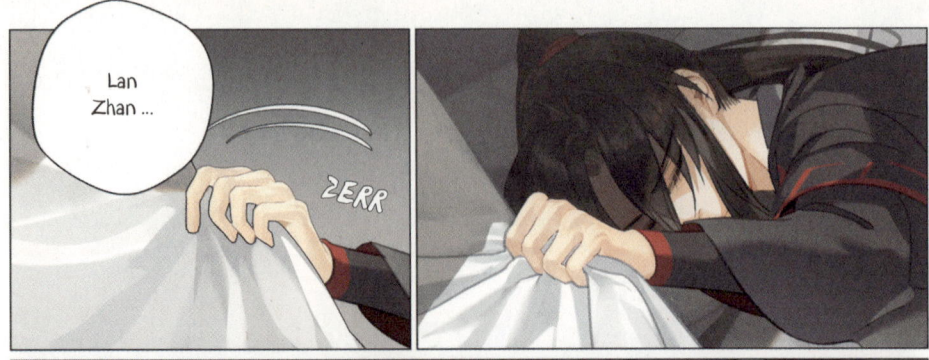

Ich bin hier.

Kapitel 174

Eine andere Melodie

Kapitel 175

Die Person, der ich vertraue

Kapitel 176

Hausarrest

Sie jedoch hat ganz anders empfunden ...

Warum?

... und noch dazu ...

... ermordete sie einen Mentor meines Vaters.

Ich weiß es nicht ...

... aber wahrscheinlich hegte sie schlicht und ergreifend Groll gegen ihn.

Kapitel 177

Der ungebetene Gast

Kapitel 179

Lan-Er-Gege

*Bedeutet wörtlich übersetzt »zweiter Bruder«, kann unter Liebespaaren aber auch als Kosename verwendet werden.

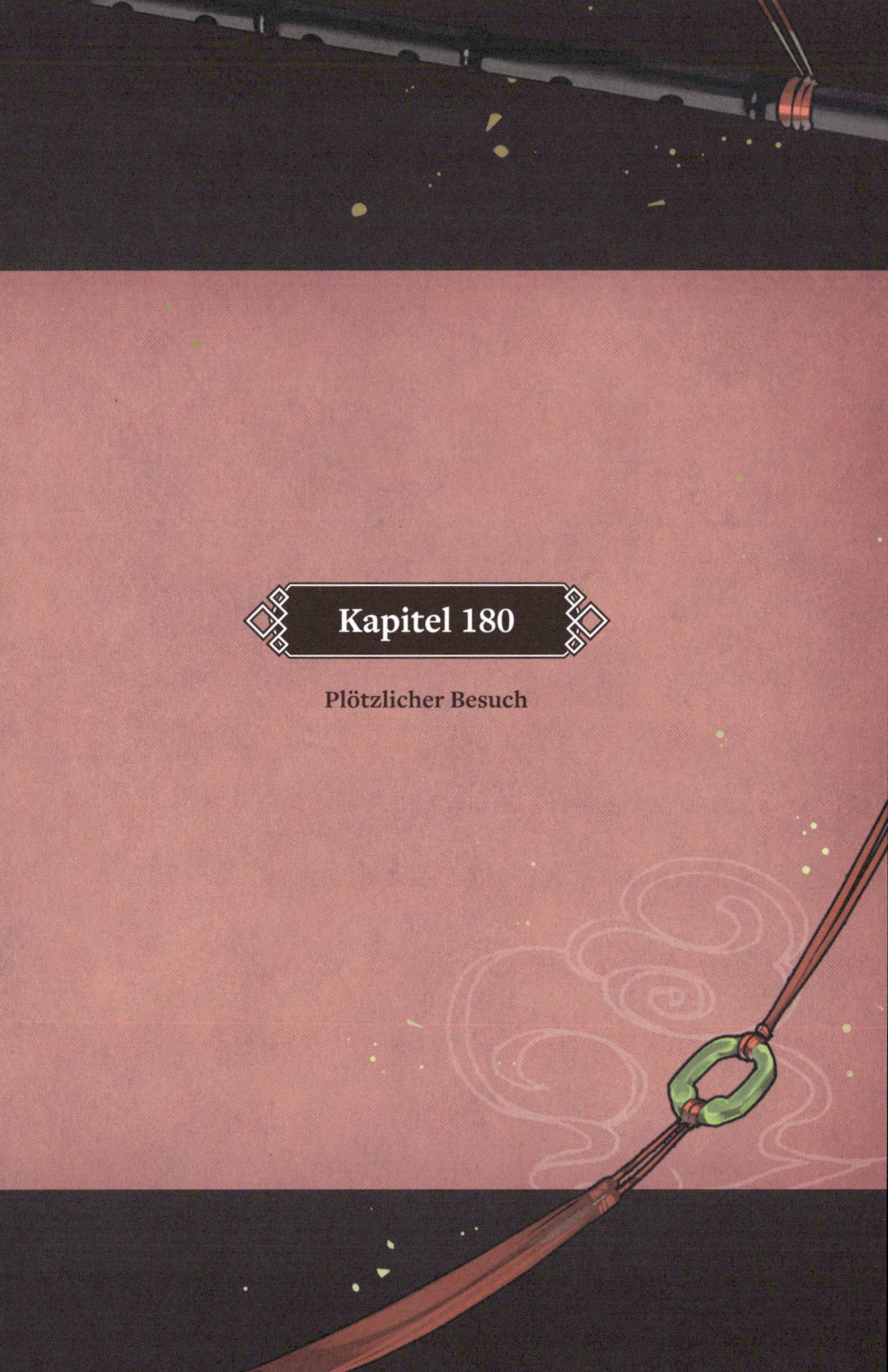

Kapitel 180

Plötzlicher Besuch

Lan-Er-Gege, was sind deine Ansichten zu dieser Aussage?

Hör auf zu reden.

Trotzdem können wir nicht zulassen, dass er andere schikaniert.

So sind kleine Jungs eben, sie ärgern doch nur diejenigen, die sie mögen.

Äh.

Luo Di Cheng Qiu ──── **Künstler**

Illustratorengruppe der populären chinesischen Manhua-Plattform *Kuaikan Manhua*. Zeichnet hauptsächlich Werke mit historisch-chinesischem Setting. Stärken: die Umsetzung von Fantasy-Geschichten im Manhua-Stil, hohe Storytelling-Fertigkeiten, Anfertigung wunderschöner Kolorationen.

Mo Xiang Tong Xiu ──── **Autorin**

Ist bei der chinesischen Webnovel-Seite *Jinjiang Wenxuecheng* unter Vertrag und wurde 2017 zur beliebtesten Autorin der Webseite gewählt. Zu ihren weltweit berühmtesten Werken zählen *The Grandmaster of Demonic Cultivation*, *Heaven Official's Blessing* und *The Scum Villain's Self-Saving System*.

TOKYOPOP GmbH
Hamburg

TOKYOPOP
1. Auflage, 2025
Deutsche Ausgabe/German Edition
© 2025 TOKYOPOP GmbH, Curienstraße 2, 20095 Hamburg
Aus dem Chinesischen von Nina Zhao

Published originally under the title of 《魔道祖师》(Mo Dao Zu Shi)
Author ©墨香铜臭 (Mo Xiang Tong Xiu)
German edition rights under license granted by ©Tencent.
German edition copyright © 2025 TOKYOPOP GmbH
Arranged through JS Agency Co., Ltd
All rights reserved.

Redaktion: Simone Meinecke
Herstellung: Annika Meyer-Wülfing
Lettering: Vibrant Publishing Studio
GPSR: produktsicherheit@tokyopop.de
Druck und buchbinderische Verarbeitung:
CPI – Clausen & Bosse GmbH, Leck
Printed in Germany

Wir achten auf die Umwelt.
Dieses Produkt besteht aus FSC®-zertifizierten
und anderen kontrollierten Materialien.

Alle deutschen Rechte vorbehalten. Nachdruck, auch auszugsweise, verboten. Kein Teil dieses Werkes darf ohne schriftliche Genehmigung des Verlages in irgendeiner Form reproduziert oder unter Verwendung elektronischer Systeme verarbeitet, vervielfältigt oder verbreitet werden.

ISBN 978-3-7593-0812-2

www.tokyopop.de

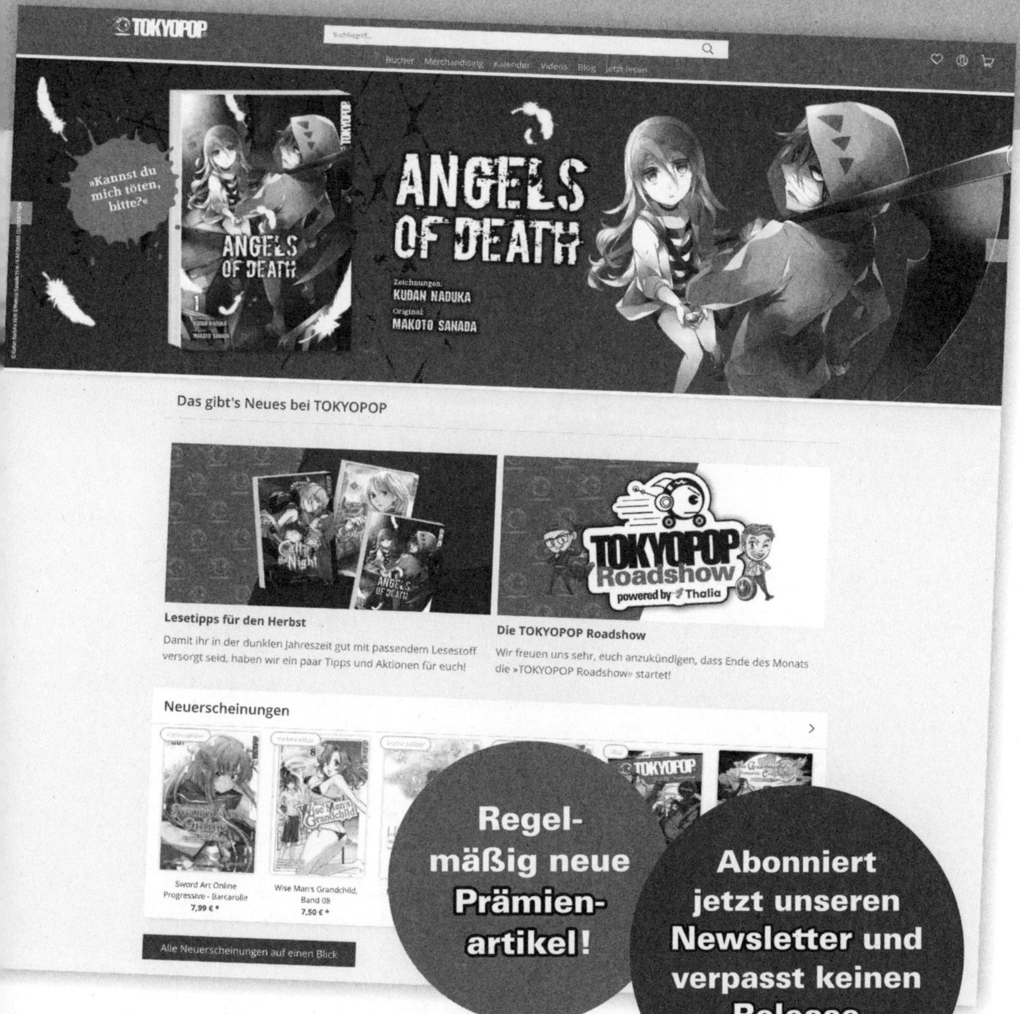

THE GRANDMASTER OF DEMONIC CULTIVATION – LIGHT NOVEL

Mo Xiang Tong Xiu

Nach dem Tod von Wei Wuxian, einer der mächtigsten Männer seiner Generation, hallen Jubelschreie durch das ganze Land. Jahre vergehen, bis er durch ein Opferritual zurück in die Welt der Lebenden – in den Körper eines Fremden – beschworen wird! Er versucht, seine wahre Identität geheim zu halten, trifft jedoch auf einen alten Bekannten: den attraktiven Lan Wangji. Als die beiden erneut in dunkle Machenschaften hineingezogen werden, müssen sie sich nicht nur ihren Gefühlen füreinander, sondern auch bösartigen Geistern und feindseligen Clan-Mitgliedern stellen, um die in dichten Nebel gehüllten Wahrheiten ans Licht zu bringen!

www.tokyopop.de

HEAVEN OFFICIAL'S BLESSING LIGHT NOVEL

Mo Xiang Tong Xiu

Zweimal schon ist Xie Lian zum Gott aufgestiegen – und zweimal wurde er aufgrund seines Hochmuts wieder verbannt. Als es ihm nun zum dritten Mal gelingt, ist er das Gespött des Himmels. Er hat jedoch inzwischen Demut gelernt und da er in der Menschenwelt keinerlei Anhänger mehr hat, beschließt er, sich selbst seinen ersten Schrein zu errichten. Dabei begegnet er einem seltsamen jungen Mann, der sich als »San Lang« ausgibt und nicht nur viel über die Götter- und Geisterwelt zu wissen scheint, sondern auch über außergewöhnliche Fähigkeiten verfügt. Gemeinsam müssen sie gegen böse Geister kämpfen – doch wer ist dieser mysteriöse Mann in Rot …?

www.tokyopop.de

MONOTONE BLUE
Nagabe

Anders ist schön

Kater Hachi findet seinen Schulalltag so öde, dass er lieber eine Runde döst, als sich am Klassenleben zu beteiligen. Doch die Monotonie wird durchbrochen, als Echsenjunge Aoi an seine Schule wechselt. Während alle anderen Mitschüler ganz aufgeregt sind, dass sie mit der ersten und einzigen Eidechse in ihrem Umfeld Unterricht haben, hat Hachi zunächst nur ein gelangweiltes Gähnen für den Neuzugang übrig. Doch dann erhascht er zufällig einen Blick auf Aois strahlend blaues Geheimnis. Damit es auch eins bleibt, macht Hachi der Echse einen ungewöhnlichen Vorschlag ...

www.tokyopop.de

MINATO'S COIN LAUNDRY
Sawa Kanzume / Yuzu Tsubaki

Gefühle im Schleudergang

Mit Anfang dreißig hängt Minato aufgrund gesundheitlicher Probleme seinen Bürojob an den Nagel und übernimmt den alten Münzwaschsalon seines Großvaters. Die Stammgäste sind hauptsächlich ältere Nachbarn, doch an einem flirrenden Sommertag taucht dort der Schüler Shintaro auf. Als sich Minato auf holprige Weise als homosexuell outet, reagiert Shintaro zunächst irritiert. Einige Tage später bekundet er allerdings offen sein Interesse an ihm und überhäuft ihn fortan mit Aufmerksamkeiten. Obwohl der Schüler genau sein Typ ist, ist Minato aufgrund des Altersunterschiedes eher zurückhaltend. Er schlägt daher vor, dass sie erst mal eine Freundschaft aufbauen sollten ...

THEO
Nachi Aono

»Seit jenem Tag seid ihr meine Gottheit.«

In einem fernen Land leben Gottheiten namens »Batsu«. Ihre Kräfte werden von den Menschen sowohl geschätzt als auch gefürchtet, weshalb man sie in den hohen Norden verbannte. Doch die Tradition gebietet es, dass den Batsu Diener zur Seite gestellt werden. Sie sollen den Alltag der Gottheiten erleichtern, da Batsu von ihren eigenen Kräften regelrecht verzehrt werden und daher schneller altern. Dies ist die schicksalhafte Geschichte von Batsu Rei und dem Jungen Theo.

www.tokyopop.de